如何帮助孩子面对不利因素

▶

智

慧

父

母

课

堂

▶

亲爱的家长/老师，《和朋友们一起想办法》系列的《孵不出来的小鸡》讲述的是，天气寒冷，鸡妈妈海蒂担心刚出生的宝宝被冻坏了，不过糟糕的是，最后一只蛋里的小鸡怎么也孵不出来！"别担心，我有办法！"弗瑞德先生面对不利因素，最终想办法解决了问题。**我们如何结合故事内容，帮助孩子面对不利因素，化解困难呢？**

一是帮助孩子客观地看待逆境。要让孩子知道，生活中不可能始终一帆风顺，总会有起伏，现实中的冲突、挫败，其实是成长中必须经历的过程；很多名人、伟人都曾身处逆境，但他们不被困难所吓倒，而是从中吸取教训，继续向前。

二是家长要以欣赏的眼光看待孩子的优点和不足。对孩子的优势、天赋，应该及时捕捉，给予发展所需要的支持。但是，家长要注意适当地"扬长"是应该的，千万不要揠苗助长。对于孩子的不足之处，家长要意识到儿童的可塑性大，有宽广的发展空间，孩子当下的所谓短处，未必不能在将来成为长处。

三是帮助孩子认识自己和他人。家长尤其不要让孩子在很小的时候就通过大人的判断，认定自己什么方面好、什么方面不行，否则会影响孩子某些方面的自信，导致弱项更弱。"尺有所短、寸有所长"，还要让孩子知道既要看到自己的优点，也要给予别人的优点掌声。

让孩子自己解决同伴之间的冲突

孩子和小伙伴之间，有时也会发生冲突，这时家长如果能够给予必要的指导，让孩子化解矛盾，将对提升孩子解决问题的能力有帮助。以下是家长需要注意的事项。

一是遵循成长原则，相信孩子解决问题

和学习的能力。当孩子与人发生冲突的时候不要急于干涉，要给孩子自由思考和自己解决的机会。二是孩子发生冲突时，不要武断地下定论，评判是非对错，而是要耐心地听孩子解释。三是不要一味地庇护自己的孩子，家长要做的是帮助孩子战胜冲突带来的挫折，而不是替孩子讨回公道。四是如果孩子经常与人发生冲突，请不要断定是孩子道德品行不好，而是要在实践中纠正孩子的错误行为，教会孩子一些交往技巧。五是不要因为经常受"欺负"，就把孩子保护起来，而是要鼓励他多与同伴接触。

（故事爸爸、童书编辑　陈喜嘉）

请家长／老师在和小朋友一起阅读完故事后，引导孩子开展以下的阅读互动。

解决问题小达人加油站

　　小朋友，看完了《孵不出来的小鸡》，让我们来回忆一下故事吧，看看你还记得多少有趣的情节。

　　1. 你见过毛茸茸的小鸡吗？鸡妈妈是怎样孵出小鸡来的？

　　2. 鸡妈妈刚开始孵出了几只小鸡呢？最后一只小鸡为什么一直孵不出来呢？

　　3. 动物们帮鸡妈妈想了哪些办法，这些办法起作用了吗？

　　4. 最后是谁提醒弗瑞德先生，帮助他想出了一个好办法？

　　小朋友，如果让你想办法，你会用哪些办法帮助母鸡海蒂呢？（爸爸妈妈或者老师也要想想办法，并且一定要记得对小朋友提出的建议给予鼓励和掌声呀！）

　　你解决问题的方法：

图书在版编目(CIP)数据

孵不出来的小鸡 / 〔英〕戈尔德萨克著;〔英〕斯莫尔曼绘;柳漾译. — 武汉 : 长江少年儿童出版社, 2014.10

(和朋友们一起想办法)

书名原文: The unhatched egg

ISBN 978-7-5560-1489-7

Ⅰ.①孵… Ⅱ.①戈…②斯…③柳… Ⅲ.①儿童文学 – 图画故事 – 英国 – 现代 Ⅳ.①I561.85

中国版本图书馆CIP数据核字(2014)第218936号

孵不出来的小鸡

〔英〕加比·戈尔德萨克 / 著　〔英〕史蒂夫·斯莫尔曼 / 绘　柳　漾 / 译

策划编辑 / 陈喜嘉

责任编辑 / 傅一新　佟　一　陈喜嘉

装帧设计 / 胡馨予　美术编辑 / 胡馨予

出版发行 / 长江少年儿童出版社

经销 / 全国新华书店

印刷 / 广东广州日报传媒股份有限公司印务分公司

开本 / 787×1092　1/12　2.5 印张

版次 / 2018 年 12 月第 1 版第 37 次印刷

书号 / ISBN 978-7-5560-1489-7

定价 / 9.00 元

The Unhatched Egg

本书中文简体字版权经 Parragon Publishing (China) Limited 授予心喜阅信息咨询(深圳)有限公司,由长江少年儿童出版社独家出版发行。

策划 / 心喜阅信息咨询(深圳)有限公司　咨询热线 / 0755-82705599　销售热线 / 027-87396822　http://www.lovereadingbooks.com

和朋友们一起想办法

孵不出来的小鸡

〔英〕加比·戈尔德萨克 / 著　〔英〕史蒂夫·斯莫尔曼 / 绘　柳　漾 / 译

长江出版传媒　长江少年儿童出版社

今天的天气真冷，农场到处都结了冰，农场主弗瑞德先生这时候刚给奶牛挤完奶。

"天啊，实在太冷了！"弗瑞德一边对牧羊犬帕奇说，一边脱掉靴子坐在壁炉前烤火。

突然，弗瑞德的太太珍妮推开门走了进来。

"母鸡海蒂刚孵出了十二只很漂亮的小鸡，"珍妮气喘吁吁地说，"现在只剩下最后一个蛋里的小鸡没出来了……"

"汪汪，汪汪！"帕奇欢呼着。

弗瑞德马上穿好靴子准备出门，这时帕奇已经跑到鸡妈妈海蒂的家门口，他也想看看最后一个蛋里的小鸡有没有孵出来。

鸡舍里，十二只漂亮的小鸡依偎在妈妈身边，而鸡妈妈海蒂还蹲在一只鸡蛋上，耐心地等待第十三只小鸡出生。

"她在干吗？"帕奇问其他围观的动物。

"嘘——嘘！"奶牛康妮轻声说，"海蒂正在专心孵小鸡呢。"

海蒂等啊等啊，其他动物也等啊等啊，可是什么事儿也没发生。

"这儿温度太低了。"鸡妈妈海蒂咯咯咯地说，"在这儿待着，宝宝永远都不会从蛋里出来。"

"来，给这个鸡蛋盖点儿羽毛试试。"鸭子多蒂说，"这些鸭毛总让我又暖和又漂亮。"

"用我的羊毛吧！"小羊莎莉说，"把它垫在肚子下面一定很舒适。"

"还可以拿些干草垫着！"奶牛康妮说，"这样一下子就会变暖和，小鸡很快就能出来了。"

海蒂给第十三个鸡蛋盖上鸭毛，垫上了羊毛和干草。就在海蒂想舒舒服服地蹲在上面时，弗瑞德哼着小曲儿进来了。

孵蛋日快乐，
亲爱的海蒂，
祝你孵蛋日快乐！

弗瑞德哼完小曲儿，就坐在海蒂旁边等着。弗瑞德等啊等啊，海蒂等啊等啊，其他动物也等啊等啊，可最后一只小鸡还是没孵出来。

"鸡舍太冷了！"弗瑞德说，"别担心，我有办法！"他高兴地喊着，钻进了储物间。

没过多久，里面就传出一阵"噼哩啪啦"的声音。

动物们相互看看，纷纷摇摇头，他们不知道弗瑞德这次又会弄出什么花样来？

　　过了几分钟，储物间的门开了。弗瑞德走出来，手里抱
着一个透明的箱子。

"快来看看！"弗瑞德骄傲地宣布，"这是'超级热能孵蛋器'，只要把鸡蛋放进去，小鸡很快就孵出来了。"

"放进去喽！"弗瑞德一边说，一边把第十三个鸡蛋放进"超级热能孵蛋器"。

大家都睁大眼睛盯着弗瑞德的"超级热能孵蛋器"。弗瑞德等啊等啊，海蒂等啊等啊，其他动物也都等啊等啊，可是什么事儿也没发生。

周围静悄悄的，只有灯泡发出嘶嘶声。随后，"砰"的一声，灯泡爆裂了。

　　"别担心！"弗瑞德连忙说，"换个新灯泡就行了。"说完，他朝屋子里走去。

动物们都聚集在海蒂家门口。

"得帮帮可怜的海蒂！"鸭子多蒂说，"我们必须想个办法！"她依次看看大家，结果所有动物都在摇头。

"汪汪，汪汪！"帕奇摇了摇尾巴，他突然想到了农场最暖和的地方。

汪汪，汪汪！

帕奇冲进屋里时，弗瑞德正坐在壁炉前，膝盖上放着一个箱子，他正在里面翻找着。

　　弗瑞德翻出一个灯泡，随手放进帽子里。看到帕奇进来，他笑着说："帕奇，你怎么进来了？现在没时间懒洋洋地烤火，我们要想办法孵出小鸡。"

　　"汪汪，汪汪！"帕奇叫了两声，把装着灯泡的帽子拖到了壁炉前。

弗瑞德看看帕奇，又看了看帽子里的灯泡。

"有了！我想到一个绝招！"弗瑞德一把抓起帽子，冲出了屋子。

弗瑞德用帽子捧着那只鸡蛋，急匆匆地跑回屋子。鸡妈妈海蒂和十二只小鸡跟着他，也走进暖和的屋子。

　　"就放在这儿。"弗瑞德边说边把帽子和鸡蛋轻轻地放在壁炉前面。

大家聚精会神地等待着。弗瑞德等啊等啊，海蒂等啊等啊，其他动物也等啊等啊……

"噢，天啊，我的天啊！"鸡妈妈海蒂咯咯地说，"这个蛋里不会出来小鸡了！"

　　就在这时，"啪"的一声，鸡蛋裂开了……第十三只小鸡出来了。

"唧唧，唧唧！"刚孵出的小鸡欢快地叫着，跳到了弗瑞德的大腿上。

这时，珍妮刚好走进来，她笑着说："弗瑞德，看来小鸡把你当成妈妈了！"

"我早就知道这儿是农场最暖和的地方，一定能孵出小鸡……"弗瑞德笑着说。

"汪汪，汪汪！"帕奇也跟着欢呼。